Agnès Desarthe

Comment j'ai changé ma vie

Neuf

l'école des loisirs

11, rue de Sèvres, Paris 6e

Du même auteur à *l'école des loisirs*

Collection NEUF
Dur de dur
Tout ce qu'on ne dit pas

Collection MÉDIUM
Je manque d'assurance
Je ne t'aime pas Paulus
Les peurs de Conception
Poète maudit

© 2004, l'école des loisirs, Paris
Loi n° 49.956 du 16 juillet 1949 sur les publications
destinées à la jeunesse : janvier 2004
Dépôt légal : décembre 2012
Imprimé en France par Hérissey/Qualibris à Évreux (Eure)
N° d'impression : 119756

ISBN 978-2-211-07276-2

Pour Randy Sharma

1
Chez Mamie

J'ai été renvoyé de la crèche à l'âge de dix mois pour comportement asocial. Depuis, je n'ai pas causé le moindre souci à mes parents. Comme ma mère n'avait pas le temps de s'occuper de moi, c'est Mamie qui m'a gardé, et depuis, c'est comme ça, c'est ma situation. Je vis avec Mamie.

Quand j'étais bébé, ma mère était étudiante, alors elle n'avait pas le temps ; ensuite elle a trouvé un travail, un très bon travail sans doute, qui rapportait pas mal d'argent. Le problème, c'est que : «On ne peut pas élever correctement un enfant quand on prend sa carrière au sérieux.» C'est ce qu'elle dit.

Mon père est à l'étranger. Beaucoup de gens pensent que mes parents sont divorcés, mais c'est faux. Ils vivent très loin l'un de l'autre.

Je dis que mon père travaille à l'étranger, même si ça paraît un peu vague parce que j'ai peur qu'on se moque de moi. Avant, je racontais qu'il était parti en Rhodésie, car c'est ce que Mamie m'avait expliqué. J'ai appris depuis que la Rhodésie n'existe plus. Maintenant, ce pays, ce pays où mon père travaille, s'appelle le Zimbabwe.

Mamie a un problème avec le temps, donc avec l'histoire et la géographie. Elle confond. Mais vivre avec elle, c'est facile. Elle me dit : «Tu es le roi, ici. Tout ce que tu veux, demande-le moi.» Sauf qu'on ne peut pas lui demander grand-chose en réalité, parce qu'elle aussi est très occupée. Elle fait tout elle-même, le pain, les housses de couette, les vêtements. Parfois, je me demande si ce n'est pas elle qui a fabriqué les meubles de notre maison. Elle a

des tas d'outils, des aiguilles à coudre et à tri-
coter, des passoires, des marteaux et toujours
des monceaux de tissus qu'elle tire d'une
grande armoire qui ne se vide jamais. Le soir,
elle me demande ce que je veux manger, mais
avant que j'aie eu le temps de répondre, elle
enchaîne en m'annonçant ce qu'elle a déjà
préparé.

Les jours où elle a vraiment la forme, elle
me propose une partie de dames. On joue
environ vingt minutes, ensuite elle regarde sa
montre et s'écrie : «Oh la la! Ce qu'il est
tard! On joue, on joue et on oublie tout!»
Nous arrêtons la plupart du temps avant de
savoir qui a gagné.

L'histoire de la Rhodésie − je veux dire,
comment j'ai su que ça n'existait pas, enfin,
si, mais sous un autre nom −, c'était en CM1.
J'avais un maître très sympa, qui voulait qu'on
l'appelle Thierry et qui nous avait dit, dès le
début de l'année : «Je ne suis pas votre prof,
les enfants ; je suis d'abord votre copain, et si

je peux vous apprendre quelque chose en plus, alors là, c'est du bonus. »

Depuis Thierry, je me méfie des mecs sympas, parce qu'il m'a fait passer une sale année. Je ne sais pas ce qu'il s'est imaginé. Je ne sais pas ce qui lui a déplu chez moi. Mais il me l'a bien fait payer. Le jour où j'ai dit que mon père travaillait en Rhodésie, il a éclaté de rire et a déclaré : « Ça, j'adore. En Rhodésie. Et, nous, on habite à Lutèce, et c'est quand même vachement agréable d'avoir un empire, et n'oubliez pas de mettre vos toges en sortant. » Personne dans la classe n'a ri, parce que personne ne comprenait sa blague, mais je me suis senti ridicule. Les profs qui ridiculisent les enfants devraient aller en prison.

Est-ce que penser une chose pareille fait de moi un asocial ?

Je ne sais pas. Je n'en ai pas parlé à Mamie, parce que ça lui aurait fait de la peine et qu'elle aussi elle se serait peut-être sentie ridicule. Je n'en ai pas parlé à mes parents parce que quand on se voit, c'est la fête, c'est pas souvent, et qu'ils n'auraient pas pu faire grandchose. Mais quand j'ai appris que Thierry allait nous garder en CM2, qu'il aimait tellement cette classe qu'il ne pouvait pas la lâcher, j'ai compris qu'il fallait que je trouve une solution. J'ai pensé un instant : «Puisque je suis le roi, je n'ai qu'à dire à Mamie de me changer d'école.» Sauf que lui demander de me changer d'école, c'est comme lui commander un voyage sur la Lune. Déjà qu'avec les chèques de la cantine elle ne s'en sort pas! Elle pense que les euros sont des nouveaux nouveaux francs qui valent cent fois plus qu'avant. C'est encore à cause de son problème avec le temps et aussi avec les chiffres. Elle a soixante-douze ans – ce qui est en fait assez jeune –, mais elle m'a expliqué un jour qu'elle avait vécu tant de choses que, parfois, elle avait l'impression d'en avoir au moins cent quarante. Mamie parle peu de sa vie. C'est dommage, parce que ça m'intéresse, surtout qu'on n'a pas la télé. Ma mère dit que la télé rend les enfants idiots. Moi je pense que ne pas avoir la télé rend aussi les enfants idiots… ou alors asociaux, mais c'est un peu la même chose, non?

Je devais donc m'en sortir tout seul; et c'est comme ça, à cause de Thierry, et à cause de Mamie, que ma vie a changé.

2
Les activités

Les activités, c'est ce qu'on fait en dehors de l'école. Il y en a de toutes sortes : le judo, le football, l'escrime, la poterie, le piano, la capoeira, les claquettes, le basket, la clarinette. On peut les pratiquer dans un club ou un conservatoire, certains enfants ont même des professeurs particuliers. Dans ma classe de CM1, presque tous les enfants avaient une ou plusieurs activités, mais moi, je n'étais inscrit nulle part, parce que je n'avais jamais pensé à le demander et que personne ne me l'avait proposé.

Si, une fois, ma mère m'avait dit qu'elle aimerait que je fasse de la danse. «Pas forcément de la danse classique avec le tutu et tout ça, avait-elle dit. Tu pourrais faire de la danse moderne, du jazz, ou même du funk. C'est tellement pitoyable les hommes qui ne savent pas danser!» J'ai su qu'elle pensait à mon père en disant ça, parce qu'elle se plaint souvent qu'il est maladroit et qu'il n'a pas le sens du rythme. Alors, par solidarité, vu que quand on ne voit jamais son père, on a vraiment intérêt à être solidaire avec lui, j'ai dit non. «Un homme qui sait danser, c'est encore plus pitoyable.» Voilà ce que je lui ai répondu. Parfois, on est obligé de mentir, pour sauver l'honneur, pas le sien forcément, juste l'honneur.

Du coup, c'était fichu. Mais ça ne me dérangeait pas; au contraire même. L'idée de me retrouver avec des tas de gens en train d'apprendre un truc, alors que c'était déjà ce que je faisais toute la journée en classe, me semblait complètement stupide; je ne voyais pas l'intérêt. Moi, à quatre heures et demie, j'étais content de rentrer à la maison. Il y avait l'odeur du repassage, ou des boulettes, et je pouvais m'allonger pour lire pendant deux heures.

Lire, c'est une activité, mais ça ne compte pas, parce qu'on le fait seul et qu'on n'a pas besoin de professeur. Enfin, tout ça, c'était avant Thierry, parce qu'après une journée passée à se faire torturer, même les bonnes odeurs et un livre passionnant ne remontent pas le moral.

En CM2, dès le début de ma deuxième année avec lui, j'ai arrêté de lire, j'ai aussi arrêté de faire mes devoirs, j'ai failli arrêter de manger, mais ça aurait fait trop de peine à Mamie, alors je me suis forcé. Je suis devenu un élève très moyen. En bas de mon bulletin, c'est ce qu'il y avait écrit: «élève très moyen». Et plus j'étais moyen, plus Thierry se fichait de moi, toujours avec cet air de type sympa qui passe son temps à sourire et à faire des blagues. «Mais, ma parole, t'as pas d'humour ou quoi?»

disait-il. Non, je n'avais pas d'humour, ça aussi j'avais arrêté, parce que j'avais des soucis et qu'il fallait que je trouve un moyen de m'en sortir.

3
C'est écrit sur la plaque

Quand on cherche, on trouve. Ça, c'est une phrase typique de Mamie et c'est vrai. Quand on n'a plus rien d'autre à faire qu'à réfléchir, on devient malin, on ouvre les yeux et les oreilles et on découvre des choses qu'on n'avait jamais vues avant.

Ce que j'ai découvert en CM2, c'est que de l'autre côté du boulevard où j'habite, à un endroit où je ne vais jamais parce que l'école est dans la direction opposée, il y avait un grand bâtiment entièrement vitré, qui ressemblait à une école. J'ai mis un certain temps à traverser pour aller lire ce qui était inscrit sur la plaque en cuivre à côté de la porte, sans doute à cause du découragement et de la peur d'être déçu. J'avais raison d'ailleurs, à la fois d'être découragé et d'avoir peur, parce que quand j'ai fini par y aller et que je me suis retrouvé en face de cette fameuse plaque, ce que j'y ai lu ne m'a pas enchanté: CNP, Conservatoire national de Paris. J'ai compris que ce n'était pas pour moi. C'était encore un de ces endroits où l'on pratique une activité.

J'allais retraverser le boulevard, quand une dame m'a tapé sur l'épaule.

– Tu attends quelqu'un?

– Non.

– Tu n'attends personne, alors?

J'ai pensé que cette dame avait un problème, un problème de folie et je n'ai pas voulu la vexer, alors j'ai répondu.

– C'est ça. Je n'attends personne.

– C'est une grande force, a-t-elle déclaré. Quel âge as-tu?

– Dix ans, enfin, presque dix ans.

— Et tu es un jeune homme très décidé, a-t-elle complété.

J'ai rougi.

Je ne sais pas pourquoi. Peut-être parce que je venais de me rendre compte qu'elle était un peu belle. Environ trente-cinq ou quarante ans, mais belle, à cause de ses yeux qui allaient droit dans les miens. Je ne savais pas quoi ajouter, alors je n'ai rien dit, mais, tout d'un coup, je n'avais plus envie de rentrer chez moi.

Il y a eu un silence, durant lequel nous avons tous les deux regardé vers le ciel, puis elle a dit :

— Tu aimes la musique ?

— J'aime lire.

C'était une réponse tellement bête que j'aurais voulu que la terre m'engloutisse ; c'était sorti tout seul, avant que j'aie eu le temps de réfléchir.

— Tu ne connais peut-être pas la musique ? a-t-elle proposé, la tête légèrement penchée sur le côté, les yeux plissés avec des tas de rides fantastiques autour.

— C'est ça oui.

J'étais content qu'elle fasse semblant de ne pas remarquer que j'avais dit n'importe quoi.

— Je vis seul avec ma Mamie.

Qu'est-ce qui me prenait de lui raconter ça? Encore une fois, j'avais parlé sans réfléchir. C'était encore plus débile que «j'aime lire», c'était carrément honteux.

— Personne ne joue d'un instrument de musique chez toi?

Une fois de plus, je lui fus très reconnaissant de ne pas plonger dans le panneau de ma stupidité. D'autres personnes, à sa place, n'auraient pas pu s'empêcher de me dire: «Oh, le pauvre petit! Ton papa et ta maman ne sont plus là?» ou un truc du genre.

— Non. Mamie chante bien, mais c'est tout.

— Et toi, tu chantes?

— Je ne sais pas, je n'ai jamais essayé.

À ce moment-là, il s'est passé une chose très bizarre, une chose qui, quand on la raconte, a l'air faux et qui, quand on la vit, a l'air encore plus faux: la dame s'est mise à chanter, une petite mélodie, sans queue ni tête, un petit air de quatre secondes qui n'était même pas très joli.

— Vas-y, a-t-elle dit. Chante après moi.

Et le pire, le plus incroyable, c'est que je l'ai fait. J'ai chanté après elle, en plein milieu de la rue, devant tous les gens qui passaient et qui ne nous regardaient pas, mais quand même.

Elle a pris son menton dans sa main, a réfléchi un instant, puis a chanté une autre petite chanson, vraiment affreuse cette fois.

— Vas-y, essaie.

J'ai fait ce qu'elle demandait, comme si j'étais hypnotisé. J'ai chanté l'affreuse petite chanson.

— C'est pas mal du tout, c'est même assez exceptionnel.

Elle a ri, alors j'ai ri aussi.

Ensuite, elle a posé son sac par terre et s'est assise sur les marches du bâtiment.

— Assieds-toi une minute, m'a-t-elle dit.

J'ai obéi et je me suis installé à côté d'elle. On avait l'air de deux clochards. Ensuite, elle a lissé sa jupe, a sorti un grand livre rectangulaire de son sac, l'a posé sur ses genoux et s'est mise à tapoter des deux mains quelque chose comme boum-ta-taboum-ta.

— À ton tour.

J'ai tapé sur le livre, comme elle me le demandait.

Elle a souri et a recommencé. Cette fois, c'était plus long et plus compliqué. J'ai fait ce que je pouvais.

— C'est bien. Comment t'appelles-tu?

— Anton Kraszowski.

— Ça, c'est un sacré nom de musicien, tu sais?

Moi, je trouvais surtout que c'était un nom que personne n'arrivait à écrire et encore

moins à prononcer, mais je ne l'ai pas contre-
dite.

— Eh bien, Anton Kraszowski, a-t-elle
ajouté en se relevant, je vais te proposer
quelque chose. Demain, à la même heure,
retrouvons-nous ici pour parler de ton avenir.
Tu n'as qu'à dire à ta grand-mère que tu t'es
trouvé un professeur de musique. Je m'appelle
Marie-José Périvaneau et voici ma carte, au
cas où ta mamie voudrait m'appeler. Tu n'es
pas obligé d'accepter, bien sûr.

— Bien sûr, ai-je répété. Je vais réfléchir.

On s'est serré la main et elle a disparu à
l'intérieur du conservatoire.

Je suis resté un instant sans bouger sur le
trottoir, me demandant ce qui venait de
m'arriver. Essayant de savoir si c'était un rêve,
si cette bonne femme était folle, si je n'étais
pas fou moi aussi de lui avoir raconté ma vie.

On nous dit toujours, à nous, les enfants,
de ne pas parler aux étrangers, surtout s'ils vous
offrent des bonbons, mais personne ne m'avait

jamais informé de ce qu'on est censé faire quand ils vous proposent des cours de musique.

4

Serpent ou cervelas?

Ça évoque quoi pour vous, un serpent? Pour moi, jusqu'à ma rencontre avec Marie-José Périvaneau, c'était un animal sans pattes d'apparence humide, mais sec au toucher, capable de tuer par strangulation, de digérer une chèvre en un mois (après l'avoir englou-tie sans mâcher), de vous aveugler, voire de vous assassiner rien qu'en vous crachant à la figure, d'agiter le bout de sa queue pour mimer une sonnette et de danser en sortant d'un panier (seulement dans les clubs de vacances et les films ringards). C'était aussi un jeu de société plutôt ennuyeux, qui aurait néanmoins présenté une alternative enthousiasmante aux dames si Mamie m'avait laissé le temps de lui apprendre la règle.

Le serpent, c'est donc tout ça et c'est déjà beaucoup, mais ce que j'ai appris, c'est que c'est aussi un instrument de musique médiéval au long corps en bois tout tordu qui pèse environ une tonne et sent une drôle d'odeur, entre la fleur séchée et la fleur pourrie.

– Plus personne ne sait en jouer, m'a dit Marie-José Périvaneau. Enfin si, mais non, c'est un instrument en voie de disparition. C'est mon travail, m'occuper des instruments oubliés.

Nous étions dans son bureau, une salle dont un mur était entièrement vitré et qui contenait plus d'instruments que je n'en avais jamais vu. Certains étaient protégés par des cloches de verre, d'autres par des housses en tissu.

– C'est comme un musée, ici, j'ai dit. Il y a une alarme ?

– Non, pas besoin d'alarme. Ces objets

coûtent cher, mais comme personne n'en veut, ils ne coûtent rien, tu comprends.

Je comprenais. J'ai hoché la tête et, tout à coup, je me suis senti triste, à cause de ce qu'elle venait de dire, comme si, moi aussi, d'une certaine manière, j'étais l'un de ces objets.

– Tu peux toucher le serpent, si tu veux. C'est encore un peu tôt pour que tu en joues, parce que l'embouchure est énorme et que l'écart pour les doigts est aussi assez grand

J'ai caressé le long corps tordu, le bois si lisse qu'on aurait dit de la peau.

– Mais on peut se mettre assez facilement au cervelas, si tu veux.

Se mettre au cervelas n'était vraiment pas l'idée que je me faisais d'une amélioration de mon quotidien. Je m'imaginais, l'air furieusement inspiré, comme Beethoven sur la couverture d'un livre qui raconte sa vie et que j'adore, en train de souffler dans un saucisson ou en train d'agiter une cervelle d'agneau dans sa barquette. Mais non, le cervelas, ce n'est pas toujours si dégoûtant. Marie-José m'a montré une boîte ronde surmontée d'un tuyau de métal en me disant :

– Je crois que je peux t'intégrer à mes recherches. J'aime bien l'idée d'écrire sur un enfant d'aujourd'hui qui découvre la musique médiévale. Je suis sûre que je peux vendre ça au ministère. Ça ne coûtera rien à ta grand-mère. Tout ce que tu aurais à faire, c'est venir ici, deux fois par semaine, et t'entraîner un peu chez toi. Tu vois, ça s'appelle un cervelas, parce que le tuyau qui forme le corps de l'ins-trument est tout entortillé, comme un cer-veau. On l'a placé dans une boîte pour qu'il soit plus facile à tenir et qu'il ne s'abîme pas.

J'ai regardé la boîte, qui avait l'allure d'une conserve format familial, et le petit tuyau ciselé, gravé d'une sorte de dentelle, qui s'en échappait. Ça ressemblait en fait à une corne-muse et j'ai pensé que j'aurais sûrement l'air ridicule à jouer d'un machin pareil.

— Je ne crois pas que je vais pouvoir l'emporter chez moi, lui ai-je dit. Si on le vole dans la rue, ce sera très embêtant et si je le fais tomber par terre et qu'il se casse...

— Pour le travail à la maison, m'a-t-elle interrompu, tout ce dont tu as besoin, c'est d'une paille.

5

Martyr ou menteur?

C'est comme ça que ma nouvelle vie a commencé. Une vie où je passais dix minutes par jour à souffler dans une paille sans gonfler les joues, le dos bien droit et les mains à plat sur les cuisses, une vie où j'apprenais le nom et le son correspondant à des petits losanges noirs posés sur des lignes, une vie où je chantais des mélodies étranges en imitant mon professeur qui, à chaque fois, s'étonnait de ma précision.

– On va passer à quelque chose de plus compliqué, si tu veux bien, Anton, me dit un jour Marie-José.

J'ai froncé les sourcils pour faire semblant d'être contrarié, mais, en réalité, je n'en revenais pas de la délicatesse avec laquelle elle me traitait. À chaque fois qu'on se mettait au travail, elle me demandait mon avis sur l'ordre des exercices; elle tenait à savoir si j'étais bien installé, me conseillait d'une voix très douce de détendre mes épaules; elle me prenait en photo et craignait toujours que je sois trop fatigué. J'aurais pu lui dire: «Vous savez Marie-José, ce n'est pas la peine toutes ces politesses. Je suis un enfant, et personne ne s'est jamais vraiment occupé de moi, ni de savoir ce qui me plaisait ou pas; j'ai l'habitude de ressortir quand il fait nuit l'hiver pour acheter le pain parce que Mamie l'a oublié, l'habitude de faire dix heures d'avion tout seul parce que Papa n'a pas pu se libérer pour les vacances et que finalement c'est moi qui dois aller lui rendre visite, l'habitude que Maman annule nos rendez-vous à la dernière minute à cause de son travail tellement passionnant, l'habitude de me faire humilier par Thierry et…» Mais je ne lui disais rien, parce que ça aurait fait enfant martyr et qu'elle aurait été encore plus gentille avec moi. En y pensant, ça m'a quand même donné une idée.

— Je veux bien essayer quelque chose de plus compliqué, lui ai-je répondu, mais je veux d'abord vous poser une question.

— Je t'écoute, Anton.

— Est-ce que ça existe une école où on ne fait que de la musique, ou alors de la musique la moitié du temps?

— Quelle âme passionnée tu as! s'est-elle exclamée.

Et là, j'ai eu un peu honte, parce que ce n'était pas la passion de la musique qui me poussait à poser cette question, c'était ma haine de Thierry, qui avait décidé depuis la rentrée des vacances de Toussaint de m'appeler «le petit garçon à sa Mamie».

Faire de la musique à plein-temps était peut-être une solution pour changer d'école.

— Bien sûr que ça existe, a-t-elle poursuivi, l'air complètement illuminé. Et si tu es tenté, si tu te sens prêt, je peux même te dire que j'en connais plusieurs, dont une excellente qui a pour directrice une de mes plus vieilles amies.

– Alors vous pensez que vous pourriez, comment dire… ?

– Te pistonner ?

Je n'étais pas exactement certain du sens de ce mot, mais j'ai senti que c'était le bon.

– Oui, c'est ça.

– Essayons mon petit truc compliqué d'abord, et nous verrons ensuite.

Son petit truc compliqué était quelque chose que j'avais déjà fait mille fois dans ma tête en écoutant ma grand-mère : elle voulait juste que nous chantions à deux voix. Elle a sorti une partition d'une chemise en carton rouge, l'a posée sur le pupitre et, tout en m'indiquant les notes au fur et à mesure, s'est mise à chanter.

– À toi.

J'ai chanté à mon tour.

— Bien, maintenant, je vais chanter la partie basse et tu vas chanter la première voix en même temps. Attention, interdiction de se boucher les oreilles!

Je n'aurais pas pensé à me boucher les oreilles. Ça marchait bien ensemble, sa note appelait la mienne. Je ne crois pas être spécialement doué en musique, mais je sais me laisser aller, je n'ai pas peur de chanter faux, c'est ça le secret. À l'époque, la seule peur que j'avais, c'était que Thierry me suive en sixième (même si je savais que ce n'était pas possible). J'ai fait ce que Marie-José demandait. On a chanté à deux voix un petit madrigal de derrière les fagots. Elle a eu les larmes aux yeux et je me suis dit que, décidément, quelque chose ne tournait pas rond chez elle. Une boule s'est formée dans ma gorge et j'ai essayé de ne pas rougir.

— Tu n'auras aucun problème pour entrer, a-t-elle dit. Des élèves comme toi, on en espère parfois toute sa vie sans jamais en voir un. Mon amie va me remercier. Tu es une trouvaille, Anton. Une perle.

Cette fois, je n'ai pas pu m'empêcher de rougir. Elle a dû croire que c'était de plaisir, mais non. Ce qui commençait à m'angoisser, c'est que je savais, au fond de moi, que je n'étais pas le nouveau Mozart ou je ne sais quoi de ce genre. J'avais juste une bonne oreille et pas d'autre choix.

6
Mystère et musique

Le piston, ça sert à plein de choses. À jouer de la trompette, à faire fonctionner des machines à essence et à vapeur, mais surtout, surtout, ça sert à vous faire changer de vie en un clin d'œil. Marie-José Périvaneau a été ma bonne fée, ma Mary Poppins, mon Merlin. D'un coup de sa baguette de chef d'orchestre, elle m'a fait passer d'un CM2 tout pourri, dirigé par une sombre ordure, à une classe de vingt-trois élèves et presque autant de professeurs, dont certains étaient spéciaux, mais aucun aussi pathétique que cette horreur de Thierry.

Quand elle m'a annoncé la nouvelle, je n'en croyais pas mes oreilles.

— Il faudra tout de même que tu passes une audition. Lecture à vue, solfège rythmique, instrument; mais bien préparé, ça devrait aller.

On a travaillé deux fois plus que d'habitude et, au bout de quinze jours, j'ai été convoqué dans ma nouvelle école. Le seul problème, c'est qu'elle était à dix-huit stations de métro.

— Tu en profiteras pour réviser ta musique, m'a dit Marie-José.

Elle ne doit pas souvent prendre le métro, parce que réviser sa musique, debout, en sandwich entre la poitrine d'une grosse dame et le sac à dos d'un étudiant, c'est pratiquement impossible. On peut tout juste travailler son équilibre en essayant de rester à peu près droit sans se tenir nulle part, malgré les virages et les coups de frein. Cette école, de toute façon, j'y serais allé en marchant sur les genoux s'il avait fallu.

L'audition s'est bien passée. Je n'avais pas la moindre sensation. J'étais comme un robot.

Aucune pensée ne traversait ma tête. Je ne voyais que des lignes mélodiques et des séries de rythmes qui, dans mon esprit, se transformaient en bruit de mitraillette : taka-takata-ka, tak-tak-takakakatak. C'est comme un langage secret, ça a l'air de ne rien vouloir dire, mais ça a une espèce de sens, un sens que les gens qui font de la musique perçoivent, qui les fait rire, hocher la tête et ouvrir grands les yeux.

L'amie de Marie-José a fait tout ça quand j'ai lu la partition. Elle a accompli tous ces gestes, ces gestes qui signifiaient : «C'est une perle ce petit» et, de nouveau, j'ai rougi.

— On va pouvoir l'intégrer facilement, je crois, a-t-elle conclu à la fin de l'examen. Tu restes au cervelas ? m'a-t-elle demandé ensuite. Parce que si tu veux, tu peux commencer autre chose. Du luth, de la viole ? Tu m'as l'air très moyen âge, je me trompe ?

Je n'étais pas sûr du compliment.

Très moyen âge ? Ce n'était pas exactement l'idée que je me faisais de moi. J'aurais préféré être complètement délire ou très avant-garde, mais j'avais d'autres soucis plus urgents à régler.

– Oui, ai-je dit de ma nouvelle voix de traître. Comment avez-vous deviné ?

Mamie a dû m'accompagner le premier jour pour signer quelques papiers. On a décidé elle et moi de ne pas en parler à mes parents. Moi, parce que je savais que ça risquait de tout ralentir, elle parce qu'elle déteste discuter de choses sérieuses.

– Tu sais mieux que moi, dit-elle. Ta grand-mère est une vieille folle.

Viviane Archimbaud – qui est la directrice de ma nouvelle école – lui a beaucoup plu.

– Je la trouve très distinguée, m'a-t-elle confié le soir, d'un petit ton rêveur que je ne lui connaissais pas. Elle me rappelle quelqu'un que j'ai connu. Il y a longtemps. Au conservatoire de Lodz. Ou de Prague. Quand j'avais huit ans. Ou bien dix-huit ans.

– Tu as fait de la musique quand tu étais jeune ? lui ai-je demandé.

– Oui.

– De quel instrument tu jouais ?

– Je ne me rappelle plus.

– Ça, c'est pas possible, Mamie. Tu te rappelles forcément.

J'ai sorti une partition de mon sac.

– Tiens, regarde, lis les notes.

Elle n'a pas regardé la partition. Elle est sortie de la pièce sans rien dire pour aller dans la cuisine. J'ai trouvé qu'elle était gonflée, que pour une fois que je lui demandais quelque chose, elle aurait pu faire un effort. Mais c'est comme ça dans ma famille. Il n'y a que moi qui fais des efforts.

Une semaine plus tard, j'ai fini par dire à ma mère au téléphone que j'avais changé d'école. Elle m'a demandé si je m'étais fait renvoyer de l'autre. J'ai dit que non, que j'avais été pistonné pour entrer dans la nouvelle. J'adore ce mot, pistonné. Elle m'a dit de ne pas parler comme ça, qu'il fallait que j'aie conscience des difficultés des autres, de la misère dans le monde et tout le reste. Je n'ai pas compris le rapport. Je lui ai aussi dit que j'étais un génie en musique (même si c'est faux) juste pour voir l'effet que ça lui ferait. Et ça lui a fait un certain effet. Elle a dit :

– Ça alors, c'est marrant.

– Pourquoi ?

– Parce que ta grand-mère…

– Ma grand-mère quoi ?

– Non, rien, je ne sais pas.

Parle, je t'en supplie, sinon je t'arrache les ongles et je te les fais manger en soupe, ai-je pensé, mais je ne l'ai pas dit. On ne peut pas dire exactement tout ce qu'on veut à sa mère, ni à son père d'ailleurs. Il y a une espèce de barrière invisible qui nous en empêche.

– Elle a fait de la musique, Mamie, c'est ça ? ai-je demandé à la place.

– Je n'en sais rien, mon chou. Tu sais comment elle est. Un jour noir, un jour blanc.

Ça n'a pas tellement d'importance, tu ne crois pas?

Je n'ai pas pu répondre à la question de l'importance, parce que justement c'était trop important pour en parler au téléphone.

7

Joueuse de casserole

Dans ma nouvelle classe, il y a des gens de
toutes les tailles et de toutes les couleurs. On
croirait que c'est normal au premier abord,
mais non. Dans cette classe, personne ne res-
semble à personne. Ça donne une impression
de désordre, même si les élèves sont plus sages
qu'ailleurs. C'est parce qu'on change sans arrêt
de groupe. Parfois on est trois dans une salle.
Parfois dix. D'autres fois, on est tous ensemble.
Pour les leçons normales, le français, les maths
et tout ça, on est réunis. Pour les instruments,
on se sépare, mais aussi pour les ateliers, qui
sont comme des cours sauf que… C'est tellement compliqué à expliquer. J'ai l'impression

que je n'y arriverai jamais. Ce qui est drôle aussi, c'est que personne ne me parle, un peu comme si je n'existais pas. Les professeurs m'adressent la parole, mais les autres élèves ne me voient pas. Ou alors ils font semblant. Je ne sais pas. Ils ont l'air très distraits. En fait, je sais. Dans ma nouvelle école, tout le monde a l'air fou. Les gens se promènent dans les couloirs en chantant, en lisant, en faisant des mouvements de mastication exagérés. Ça ne me dérange pas, parce que je suis environ cent mille fois plus heureux qu'avant.

Thierry n'est plus qu'un mauvais souvenir et, pour la première fois, j'ai l'impression de comprendre quelque chose. Ce qu'on nous enseigne est difficile et personne n'essaie de nous faire croire le contraire. Il n'y a pas de mots simples pour remplacer les mots compliqués, comme «verbe» à la place de «groupe verbal». Il y a tétracorde et c'est tout, si tu ne piges pas, c'est tant pis, il n'y a pas d'autre façon de le dire. Parfois c'est décourageant, on se sent nul et humilié. Mais, la plupart du temps, on a l'impression d'être pris au sérieux, de participer à un genre d'initiation qui rend tous les concurrents égaux. Même si Perla dit que j'ai des facilités.

Perla, c'est une fille. Une fille de ma classe. Une fille qui fait tout le temps la tête. C'est incroyable. Je n'ai jamais vu quelqu'un bouder avec une telle force. Elle a le menton en avant, les paupières à moitié fermées et le rond de couleur de ses yeux toujours trop haut, laissant apparaître un grand croissant blanc en dessous, comme si elle était sur le point de tomber dans les pommes. Le matin, elle a l'air en colère. Le soir, sans doute parce qu'elle est fatiguée, elle a juste l'air débile. C'est la seule qui me parle. On dirait qu'elle me connaît d'avance. Si on m'annonce qu'elle a des super-pouvoirs, je ne serai pas surpris. Elle me dit : « Tu demanderas à ta grand-mère, dès que je n'arrive pas à faire quelque chose. » Elle ne le dit pas méchamment, elle le dit comme quelqu'un qui sait que

je vis avec Mamie. Parfois elle me dit aussi :
« Toi, c'est normal que tu l'adores, cette école.
Tu as l'air tellement épanoui, ça fait mal. » Et
j'ai l'impression qu'elle est également au courant pour Thierry. Peut-être que ses parents
connaissent mes parents.

— C'est quoi le nom de ton père ? lui ai-
je demandé.

— Charles.

— Charles comment ?

— Charles Dexter, comme moi. Perla Dexter, comme mon père. Dexter, ça veut dire
adroit en latin. Tu parles latin ?

— Personne ne parle latin.

— Mon père, il le parle.

— Avec qui ?

Là, elle est un peu séchée. Elle fait encore
plus la tronche que d'habitude.

Je n'ai jamais entendu parler de Charles
Dexter. Quand je demande à Mamie, elle me
dit que c'est un acteur de cinéma de quand
elle était jeune. Merci, Mamie.

Perla joue du violoncelle. Quand elle le porte sur son dos, on dirait une sorcière. Elle dit «ma casserole», c'est comme ça qu'elle l'appelle. Elle dit: «Je déteste cette casserole.» Parfois, les jours de bonne humeur, elle annonce: «J'ai cours de poêle.» Je ne sais pas ce qu'elle fait dans cette école. Peut-être que Charles Dexter l'a obligée à y aller. Peut-être que Charles Dexter est un grand tyran mélomane.

Un jour, je suis passé devant la salle des cordes. J'ai vu Perla avec sa casserole. Elle jouait et rejouait une mesure en boucle tout en soupirant, en louchant, en haussant les épaules et en tenant son archet comme si elle avait voulu le briser. Le maître derrière elle avait un sourire de malaise. Les autres élèves discutaient à voix basse, sans la regarder. À un moment, elle a levé la tête et j'ai vu qu'elle me voyait. Elle a tiré son archet vers l'extérieur, et sa casserole a émis un son d'une beauté folle. J'ai disparu.

8
Le pari

J'aimerais pouvoir jouer du cervelas à la maison, rien que pour voir la tête que ferait Mamie. Marie-José m'a dit qu'elle pourrait m'en prêter un, mais juste après elle a changé d'avis.

— Choisis un autre instrument. Ton instrument, m'a-t-elle ordonné à la fin d'un cours. Le cervelas, c'est bien mignon, mais ça n'est pas très varié.

— Mais moi, j'aime le cervelas, ai-je protesté en pensant que mon nez risquait de s'allonger comme celui de Pinocchio.

— On continuera à en faire. De temps à autre.

– Mais, si je change d'instrument, je vais aussi devoir changer de…

Au lieu de dire le mot professeur, le mot qu'il fallait dire, ma gorge s'est serrée, et je suis resté muet.

– Un musicien, Anton, ne s'attache pas à son professeur. Il s'attache à son ins-tru-ment.

Ce jour-là, j'ai découvert que l'espèce de mur invisible qui nous sépare de nos parents, qui nous empêche de leur dire ce qu'on pense vraiment, existe aussi avec d'autres personnes. J'aurais aimé crier à Marie-José qu'elle se trompait totalement, qu'elle avait beau prendre son air de vieux sage chinois, ça ne changeait rien. C'était des sornettes tout ça. S'attacher à un instrument et pourquoi pas parler aux plantes vertes plutôt qu'à ses amis. J'aurais aimé lui avouer que je me fichais de la musique, que j'aurais pu jouer du tambour, du triangle ou de l'harmonica, que l'important, pour moi, c'était juste de changer d'école et que maintenant que c'était fait, j'avais l'impression d'être un escroc. Quand je voyais les autres élèves, tellement concentrés qu'on aurait dit des zombies, je sentais bien que je n'avais pas ma place. Perla était différente. Elle avait aussi l'air d'un zombie, mais pour d'autres raisons que j'ai déjà expliquées. J'aurais aimé dire à Marie-José que Mme Archimbaud ferait mieux de nous renvoyer, Perla et moi, parce qu'on ne tarderait pas à devenir des éléments perturbateurs. Mais au lieu de ça, au lieu de lui hurler : «Non, ne m'abandonnez pas Marie-José, c'est à vous que je m'attache, que ça vous plaise ou non», et à cause de ce foutu mur invisible, j'ai juste dit :

— Pourquoi pas le violoncelle?

— Le vio-lon-celle! a-t-elle répété. C'est incroyable. Le violoncelle, mais c'est l'instrument que je préfère. Celui dont j'aurais aimé jouer moi-même; je suis d'ailleurs tombée amoureuse de mon mari parce qu'il jouait du violoncelle. On est divorcés maintenant, mais je me rappelle... Pardon.

La voix de Marie-José s'est brisée, elle a un peu perdu les pédales.

– Ou alors le violon, ai-je dit pour la calmer.

– Non, non. Le violoncelle, c'est très bien. On va t'en louer un, je pense que je peux t'obtenir une bourse assez facilement.

Cette fois, j'aurais aimé lui dire qu'il fallait arrêter de me prendre pour un pauvre garçon à qui il faut tout payer. Même si elle semblait être capable d'actionner autant de pistons qu'une locomotive à vapeur, c'était trop. J'aurais voulu lui faire comprendre que mes parents gagnaient de l'argent. C'est pour ça que je ne les vois jamais, parce qu'ils travaillent beaucoup pour gagner beaucoup d'argent. Mais je n'ai pas pu le lui dire non plus. Et j'ai eu l'impression que le fameux mur invisible grandissait chaque jour, qu'il se dressait tout autour de moi, pas seulement pour arrêter les insultes, les menaces ou les colères, mais aussi pour barrer la route de la vérité. Ça m'a beaucoup ennuyé. Alors, pour me défouler, j'ai essayé de voir s'il y avait aussi un mur entre Perla et moi. Je suis allé l'attendre à la fin de son cours d'orchestre et, parce que j'avais envie de voir ce qui se passait quand son visage n'était pas tout déformé par la bouderie, je lui ai dit:

– Je parie que t'es pas cap de sourire.

– Combien?

– Combien quoi?

– Combien tu paries? Combien tu me donnes si je souris?

J'ai réfléchi. Je n'aime pas trop les paris d'argent parce que Mamie m'a raconté que son mari, mon grand-père, était mort comme ça, en pariant, sa fortune, sa maison, sa femme et puis sa vie. «Sa femme? Alors il t'a vendue?» «Oui.» «À qui? Et comment tu as fait? Qu'est-ce qui s'est passé? Maman était née?» «Je ne sais pas. C'est pas important.» Parfois je me demande ce qui est important dans cette famille. J'ai donc réfléchi et j'ai dit à Perla:

— Si tu souris, j'ai un gage et c'est à moi de faire un truc.

— Tape dans ma main, marché conclu.

Et Perla a souri.

9
Le piège

— Alors, t'as trouvé une idée?

Chaque matin en arrivant, je posais la même question à Perla. J'attendais mon gage comme on guette Noël ou son anniversaire. Je voulais qu'elle me mette à l'épreuve. Je voulais aussi qu'elle me parle parce que je commençais à en avoir assez des gens qui bloquent au milieu de leur phrase, comme Mamie, comme ma mère.

J'étais remonté à l'assaut de la mémoire grand maternelle la veille au soir, après avoir mis au point un stratagème démoniaque. L'idée était simple, elle ne demandait pas d'accessoires particuliers, ma seule obligation était de m'arranger pour être toujours plus ou moins dans la même pièce que Mamie. Je l'ai prise à son propre piège, au grand jeu des phrases interrompues.

Dès que je suis rentré de l'école, alors que je prenais mon goûter à la cuisine pendant qu'elle confectionnait des raviolis, j'ai entonné les deux premières mesures d'un menuet de Jean-Sébastien Bach, connu, mais pas trop, puis j'ai chanté les deux suivantes dans ma tête, pour ne reprendre que plus tard, un peu comme un dauphin qui nage et ne montre son aileron dorsal que par intermittence. C'est un genre de musique qui parle : deux mesures posent une question pour que les deux suivantes y répondent, comme une conversation naturelle, comme si on n'avait pas le choix.

À la première tentative, il ne s'est rien passé, Mamie a étalé sa pâte sur la table, si fin qu'on voyait presque à travers. À un moment, j'ai cru que ses lèvres bougeaient, mais c'était une fausse alerte. Patience, Anton, patience.

Une fois les devoirs finis (devoirs pendant lesquels je n'avais cessé de chanter les mesures manquantes de mon menuet), je suis allé dans le salon où elle cousait une taie d'oreiller à partir d'un vieux drap de bébé. J'ai recommencé au début, deux mesures chantées, deux mesures de silence, tout doucement pour ne pas la déranger, pour qu'elle ne s'en rende presque pas compte. Il y a eu un mouvement quelque part dans sa nuque, comme si sa tête était devenue soudain trop lourde ou, au contraire, beaucoup trop légère. Je me suis tu, je lui ai piqué ses mots croisés et j'ai attendu quelques minutes.

Le soir commençait à tomber. On était à cette heure particulière du jour où si l'on est triste, on sombre carrément dans le désespoir, où si l'on est heureux, l'excitation se met à monter.

Mamie est au courant des dangers de cette heure. Quand j'étais petit, il m'arrivait de pleurer jusqu'à l'épuisement à la tombée de la nuit. Je suis trop grand pour pleurer, mais ma grand-mère estime qu'il est tout de même nécessaire de me protéger. C'est en général l'heure où elle me propose une partie de dames. L'heure où elle allumerait la télé si nous en avions une. Parfois je me demande si tous les gens de l'immeuble, tous les gens du quartier, de la ville, du pays, du monde, ont ce même pincement, le cœur légèrement écrasé dans la poitrine, et je me dis que si c'est le cas, c'est absurde qu'on reste chacun chez soi sans rien dire ; on devrait sortir sur le palier, descendre dans la rue, traverser les carrefours, se voir, se le dire... mais bon j'en étais à la bascule de la nuit et à Mamie qui cousait sa taie d'oreiller. Après m'être levé pour allumer une lumière supplémentaire, j'ai repris au début du menuet, à peine plus fort, et, cette fois, ça a marché. Mamie a complété les deux mesures manquantes. La bouche fermée, les yeux sur son tissu, elle a pointé du bout de sa voix les notes absentes. Je n'ai rien dit, j'ai continué, je me suis arrêté de nouveau, elle a enchaîné aussitôt. Puis j'ai donné un peu de voix, j'y suis allé franchement, sans plus laisser de blanc, parce que je savais que Mamie connaissait son affaire, qu'elle saurait trouver sa place qu'il y ait des blancs ou non. Elle a inventé un contre-chant, s'est promenée tranquillement, de la basse continue aux variations, faisant des fioritures, l'aiguille toujours plantée au même endroit, la taie d'oreiller abandonnée sur ses genoux, les yeux fermés. On chantait ensemble, n'importe quoi, n'importe comment, sauf que j'aurai parié tout mon argent de poche (j'en ai pas mal, c'est l'avantage d'avoir des parents qui n'ont pas le temps de s'occuper de vous) que très peu d'autres mamies auraient été capables de le faire, comme si ça avait été la chose la plus normale du monde, comme si c'était tellement plus facile que de parler.

J'avais décidé, au moment où j'avais mis au point mon stratagème qu'à la fin, si ça marchait, j'exigerais qu'elle avoue où et quand elle avait appris la musique. Mais, quand on s'est tu, au bout d'un déluge de codas, je n'ai pas posé de question. Le reste de la soirée s'est déroulé de manière absolument ordinaire.

Le lendemain matin, comme tous les jours, j'ai demandé à Perla :

– Alors, c'est quoi mon gage ?

Elle a fouillé dans son cartable, en a sorti un papier tout froissé, me l'a tendu sans me regarder et s'est enfuie en courant.

10
Une vie normale

– Donc, c'est décidé, c'est le violoncelle ? me demande Marie-José Périvaneau.

C'est une question à laquelle je ne peux pas répondre «non». Je sens, dans le ton de sa voix, qu'il lui faut absolument un «oui». Un «peut-être» pourrait la tuer. C'est affreux, je n'ai jamais eu autant de pouvoir et je me sens mal. Je me sens mal parce que j'ai l'impression que tout est faux dans cette histoire. Que cette dame qui m'a sauvé la vie s'imagine des choses qui n'existent pas. Ça aussi, je le lis dans ses yeux, comme si j'étais sa consolation. J'en ai des frissons partout. Je regarde mes pieds et je dis :

— Oui. Violoncelle.

— C'est merveilleux, dit-elle. Tout à fait merveilleux.

Elle me caresse la tête.

— Tu sais ce qu'on va faire, Anton Kraszowski ? Elle est accroupie devant moi et cherche à capter mon regard. On va continuer à se voir, pratiquer le cervelas de temps en temps pour ne pas perdre les acquis. Je dirais, une fois par mois. Comme ça, tu auras tout ton temps pour le nouvel instrument. Qu'en penses-tu ?

Je n'en pense rien. J'ai trop mal à la tête à cause des litres de larmes qui veulent sortir de mes yeux. Je ne comprends pas ce qui m'arrive. Même ma mâchoire est douloureuse. J'essaie de penser à des choses drôles, à ce qui est écrit sur le papier tout froissé qui se trouve au fond de ma poche, à des dessins animés de Tex Avery que je regarde quand je suis en vacances chez mon père, à une publicité pour le jambon vraiment débile qui passe sur la télé de l'épicier, mais rien ne marche. C'est douloureux. Comme si des années de tristesse accumulées s'étaient donné rendez-vous le même jour. Je repense à ce que Marie-José m'a dit à propos des instruments anciens, la première fois que je suis entré dans son bureau : «Ces objets coûtent cher, mais comme personne n'en veut, ils ne coûtent rien» et j'ai de nouveau l'impression d'être moi-même un de ces objets oubliés de tous. J'en ai assez. J'aimerais que ma vie soit normale. Je voudrais retourner dans la classe de Thierry, jouer au foot à la récré, apprendre *Vive le vent* en musique, habiter avec mes parents, aller voir ma grand-mère le week-end à la campagne. J'ai envie de regarder la télé, de jouer aux jeux vidéo, d'arrêter de rougir tout le temps. Je ne veux pas être un vieil objet qui n'intéresse que Marie-José Périvaneau. Je n'ai pas envie d'être un prodige qu'on se refile de cours en cours. J'ai envie d'arrêter de sourire et d'être poli. J'ai envie de faire la tête, comme Perla, de sauter par-dessus ce mur qui m'empêche de dire ce que je pense. Et là, c'est affreux, je ne sais pas comment c'est possible, mais c'est ce qui arrive : je serre très fort les poings, je regarde Marie-José Périvaneau droit dans les yeux et je lui dis :

— ET MERDE. J'EN AI MARRE.

À une époque, on vous coupait la tête pour moins que ça. Et même de nos jours, n'importe qui d'autre que Marie-José m'aurait sans doute donné une gifle. Pas elle. Marie-José ne lève pas la main, elle ne bouge pas d'un cheveu, elle est paralysée. J'ai peur qu'elle se fissure et tombe en mille morceaux. Elle se tait un long moment, ferme les yeux un instant, sourit et dit :

— Comment ? d'un air amusé.

Je fronce les sourcils.

— Tu peux répéter ce que tu as dit ? précise-t-elle. Je ne suis pas certaine d'avoir bien entendu.

Nous éclatons de rire. C'est la première fois que j'entends le rire de ma prof de cervelas, et c'est quelque chose. Elle a un rire énorme, avec des montées dans l'aigu, comme un cheval, un cochon, une mouette ou les trois mélangés, et je ris à cause du bruit qu'elle fait. Ça la fait rire de me voir rire, alors elle rit encore plus fort. J'ai mal au ventre. J'ai l'impression que ça ne s'arrêtera jamais. Je tombe par terre. Je suis allongé sur le dos et j'ai du mal à respirer. Je sens qu'il n'en faudrait pas beaucoup pour que j'aie de nouveau envie de pleurer, et cette pensée me calme aussitôt. Je me redresse et je lui dis :

— Pardon.

Elle agite la main en riant toujours, l'air de dire qu'elle s'en fiche. Puis elle va s'asseoir à son bureau et écrit quelque chose sur une feuille.

— Tiens, dit-elle en me tendant le papier plié en quatre. Ce sont les coordonnées d'un professeur de violoncelle. Surveille ton langage avec lui. C'est le meilleur, mais, pour certaines choses, il manque sérieusement d'humour.

En sortant de son bureau, je me demande pourquoi elle ne m'a demandé aucune explication. Soit elle comprend tout. Soit elle s'en fiche. Peut-être qu'elle n'ose pas. Peut-être qu'elle a oublié. Il se peut aussi qu'elle soit choquée, tellement choquée qu'elle veut se débarrasser de moi, ne plus me voir. Je l'ai déçue en fait. C'est sûrement ça. Je descends l'escalier, les épaules basses. Je suis encore triste et je n'aime pas ça. Alors, pour me changer les idées, je décide de relire le gage de Perla, mais au lieu de la feuille qu'elle m'a donnée, je sors de ma poche celle que Marie-José m'a confiée. Je la déplie et là, je manque de tomber d'un seul coup au bas de l'escalier à cause de ce que j'y lis :

Professeur de violoncelle

CHARLES DEXTER

5, rue des Petits-Carreaux – 75002

01 45 08 92 74

11
Rêve ou cauchemar

Parlus latinus, praticus violoncellus. Avant de m'endormir je m'exerce à parler latin. J'ai relu quatorze albums d'*Astérix* et je crois que je tiens quelque chose avec les terminaisons en *-us*. C'est à cause de la fatigue. Plus je suis crevé, plus les choses me semblent faciles. Dans la journée, mon cerveau fonctionne normalement : je sais que je ne parle pas latin, que je ne vais pas l'apprendre en une nuit et que, si ça se trouve, Charles Dexter n'en connaît pas un mot. Mais le soir, quand mes paupières sont lourdes, que ma tête veut s'enfoncer dans l'oreiller et que je n'entends plus les voitures sur le boulevard, tout paraît possible. Je me vois avec mon nouveau professeur de violoncelle; je suis une bête, je suis le meilleur, on parle en latin, on fait des blagues en latin et, soudain, Perla entre.

— Je ne savais pas que tu parlais latin, dit-elle, d'un ton admiratif.

Je fais une réponse modeste, du genre :

— Oh, pas très bien ! je baragouine.

Ensuite, elle s'assied, m'écoute jouer de la casserole et dit que c'est incroyable, que je suis devenu meilleur qu'elle en seulement trois semaines, que je vais être très célèbre et très riche.

C'est à ce moment-là que je m'endors. La nuit, mes rêves ne sont pas aussi agréables. Au contraire. Plusieurs jours de suite, je rêve que Mamie meurt. Je rêve aussi que mes parents parlent de moi comme si je n'étais pas là, alors que je suis dans la même pièce qu'eux. Ils ne me voient pas. Ils disent :

— Je suis inquiet pour Anton.

— Ah bon, pourquoi ?

– Je ne sais pas, une impression.

– Mais non, il est en pleine forme.

J'essaie de les interrompre, je veux me lever et parler, mais je suis paralysé. Je ne sais pas lequel des deux cauchemars me fait le plus peur. Et je ne sais pas non plus pourquoi je fais tellement de mauvais rêves en ce moment

J'ai rendez-vous avec Charles Dexter dans deux jours. Au téléphone, il avait une voix sèche, un peu brutale, comme si je le dérangeais au milieu d'une affaire de la plus haute importance. Ça, c'est une autre des choses que j'ai remarquée avec les adultes quand on essaie de leur parler : en plus du mur qui se dresse pour nous empêcher de dire ce qu'on pense (mur qui s'est lamentablement écroulé devant Marie-José Périvaneau), il y a «la voix qui tue». Un ton qui vous fait comprendre : 1) que vous êtes tout petit, un microbe, une miette et que de tout là-haut on vous voit à peine ; 2) que vous ne vous en rendez visiblement pas compte mais qu'on est en train de régler des situations qui vous dépassent, qu'il se peut qu'on soit même au bord de sauver le monde et que ce n'est vraiment pas le moment d'interrompre ; 3) que ce que vous dites est tout simplement sans intérêt, à peine mieux qu'un areuh-areuh. Charles Dexter maîtrise parfaitement cette voix et, soudain, la piste du tyran mélomane se précise. Si Perla fait toujours la tête, si elle martyrise sa casserole, si elle me donne des gages comme celui qu'elle m'a confié, c'est à cause de ça, à cause de Charles Dexter qui l'oblige à faire de la musique et lui parle comme à une crotte.

— J'ai eu ton père au téléphone, lui dis-je, au début du cours de français.

Elle ne répond rien. Je guette une réaction sur son visage, un signe.

— Il a l'air assez dur.

Je me dis que ce commentaire va sans doute l'aider à vider son sac.

Elle se tourne enfin vers moi, les yeux plus las que jamais, et me répond :

— Alors là, mon pauvre, t'as rien compris. Il n'est pas dur, il est concentré.

Personnellement, je considère que c'est la même chose.

— Tu ne peux pas comprendre, ajoute-t-elle, toi, les parents, tu ne sais pas ce que c'est. Tu n'en as pas.

— Qu'est-ce que tu racontes ? Et comment tu sais, d'abord ?

J'ai crié sans le vouloir et la prof de français me demande d'aller me calmer dehors. Au moment de passer la porte, je me retourne pour voir si Perla me regarde. Elle a la tête baissée, je ne vois que sa frange de cheveux noirs et raides. J'ai l'impression qu'elle se mord la main.

Je me dis que tant qu'à faire, plutôt que de passer mon heure de cours dans le couloir, je ferais aussi bien d'aller accomplir mon gage. J'ai hâte que nous soyons quittes. Toi et moi, c'est fini, Perla, me dis-je avec une vague envie de l'étrangler.

12
Le gage

Ce que j'aimerais dire tout de suite, c'est que si je devais un jour donner un gage à quelqu'un, je ne choisirais pas celui-là. Je trouve que c'est un gage pourri. J'aime l'idée que Perla me donne un gage pourri, ça me fait rire, et maintenant que je suis en colère contre elle, c'est encore plus agréable, mais franche-ment, déposer une couche de colle sur les pédales du piano en salle de pratique instru-mentale, ce n'est pas brillant brillant. En plus, je ne vois pas ce que ça lui apporte, ni ce que ça m'enlève. Au pire, M. Léonton, qui dirige cette classe tous les mardi matin, restera les pieds scotchés aux pédales et dira «qui est le petit crétin qui…», au mieux, la colle aura séché, il ne remarquera pas la différence, et je me serai mis à quatre pattes par terre pour rien.

Ma mission secrète commence avec l'ouverture par effraction du placard à fournitures. C'est une simple porte, presque invisible, qui se trouve dans un couloir un peu sombre. J'ai déjà vu Mme Archimbaud, la directrice, y prendre des enveloppes, des crayons, des chemises. J'ai aussi remarqué qu'au lieu de l'ouvrir avec une clé, elle se sert de sa carte de crédit. Moi, je n'ai pas de carte de crédit, mais j'ai une carte téléphonique et, dans des circonstances comme celles-là, ça revient exactement au même.

Après avoir vérifié que personne ne venait, j'ai glissé le petit rectangle de plastique dans la fente entre la porte et le montant et, là, j'ai eu trois pensées bizarres.

1) Comment se fait-il que la directrice de l'école n'ait pas la clé de l'armoire à fournitures ?

2) C'est vraiment étrange que je l'ai remarqué, alors que c'est un détail sans importance.

3) C'est agréable d'ouvrir une armoire comme ça, avec une carte, en cachette, comme un voleur.

Et, juste après, j'en ai eu deux autres, tout aussi bizarres.

1) Je n'ai jamais fait de bêtise, ni quoi que ce soit d'interdit (je sais, c'est incroyable, mais c'est vrai).

2) La directrice a sûrement la clé, mais elle trouve ça plus agréable d'ouvrir avec sa carte, justement parce que c'est différent, astucieux et un peu interdit, comme si elle cambriolait son propre porte-monnaie.

Mais j'oublie la dernière idée, qui est peut-être la plus importante, et selon laquelle un gage pourri peut vous faire beaucoup avancer dans la vie.

Quand la porte s'est ouverte et que j'ai vu l'intérieur de la caverne d'Ali Baba, tout emplie de trombones, d'élastiques de toutes les couleurs, de cartons, de blocs de papier, de stylos et de gommes blanches toutes douces, un frisson a parcouru mon dos. C'est la pente glissante, ai-je pensé, celle sur laquelle se précipitent les délinquants, les voyous, les malfaiteurs, les jeunes. Qui vole une gomme, vole une pomme et qui vole une pomme... Je caressais une gomme, je la cachais au creux de ma paume. Qui verra la différence, s'il en manque une sur cinquante? J'avais tellement envie de cette gomme tout à coup et j'avais aussi très envie de continuer à glisser, à hurler: «Et merde. J'en ai marre» à Marie-José, à me faire sortir du cours de français, à voler une gomme, et quoi d'autre après, c'était sans limite. Je n'avais, jusque-là, causé aucun souci à mes parents, ça ne m'était jamais venu à l'idée, sans doute parce qu'ils étaient trop loin pour me voir. Si j'avais mis les doigts dans la prise, que j'avais renversé mon bol de chocolat, que j'avais menti sur mes devoirs, que j'étais rentré tard sans prévenir, mes parents ne l'auraient pas su, c'est Mamie qui se serait inquiétée.

J'ai reposé la gomme, sans regret ni sans vraiment savoir pourquoi.

Mais j'ai pris la colle ! Un gage, c'est sérieux, c'est une question d'honneur. J'ai choisi un tube de colle cristal dont je pensais qu'elle accrocherait mieux aux pédales que de la blanche, et j'ai refermé la porte délicatement.

Il n'y avait personne dans les couloirs. On entendait vaguement des échos de percussions, les aigus d'un piano, des claquements de mains et des voix étouffées. J'avançais sur la pointe des pieds en me disant que j'adorais ce faux silence. La salle de pratique instrumentale était vide. Le piano demi-queue noir me narguait, en plein milieu, debout sur ses pattes courtes comme un crapaud satisfait. Je me suis dit qu'une fois le gage accompli, Perla deviendrait pour de vrai mon ennemie. Ce n'était pas la première fois que je confondais ami et ennemi. Si quelqu'un me parle ou s'intéresse à moi, je pense toujours qu'il veut devenir mon ami, mais il est temps de revoir cette théorie, il peut tout aussi bien être mon ennemi. On s'intéresse à son ami parce qu'on le trouve marrant, ou sympa. On s'intéresse à son ennemi parce qu'on a envie de l'embêter, de le vexer, de lui faire du mal. Des raisons opposées peuvent aboutir au même résultat. Mon cerveau fonctionnait à deux cent à l'heure. Tout s'éclairait.

Je me suis accroupi sous le piano, décidé à en finir avec Perla. J'ai débouché le tube de colle. Et, alors que je m'apprêtais à l'étaler sur les pédales, mon regard a été attiré par des lettres gravées sous le clavier. Je me suis penché encore un peu plus, je me suis tordu le cou et j'ai vu, en beige sur le noir verni du piano, un cœur dans lequel étaient inscrits deux noms : Perla & Anton.

13
La honte ne tue pas

J'ai fermé les yeux, je les ai rouverts, et le cœur était toujours là. J'ai perdu l'équilibre, je suis tombé sur le coude et, sans le vouloir, à cause du choc, j'ai pressé le tube de colle qui s'est presque entièrement vidé sur la manche de mon blouson. Quand je me suis relevé, j'ai aussi constaté qu'il y en avait sous mes chaussures et qu'à chaque pas que je faisais, de minuscules filaments me retenaient au sol. J'ai mis le tube fichu dans ma poche et je suis sorti en courant de la salle. Enfin, courir, c'est un bien grand mot, parce qu'avec mes semelles engluées j'avais la grâce et l'aisance de Frankenstein. Mme Archimbaud est apparue à ce moment précis à l'autre bout du couloir et s'est avancée vers moi, les sourcils froncés.

– Kraszowski? Qu'est-ce que vous faites là? Pourquoi vous n'êtes pas en cours?

– Je suis allé chercher… Pour la prof de français… Elle m'a demandé de la colle, alors je suis allé dans le placard… dans la salle de pratique instrumentale, parce que là, il y a une… une boîte… une boîte qui… mais je ne l'ai pas trouvée.

– Qu'est-ce que c'est que ces histoires? Suivez-moi.

Elle m'a emmené jusqu'au placard à fournitures, a sorti sa carte de crédit de la poche de sa veste et a ouvert la porte en me jetant un regard entendu. Comme si elle me disait: «Je sais que tu sais.»

– Ce sera tout? a-t-elle demandé en me tendant un bâton de colle blanche.

J'ai failli lui dire qu'il fallait aussi une gomme, mais j'étais trop fatigué pour ça. La honte, ça ne tue pas, ça épuise.

Le problème, c'est que je ne voyais pas comment retourner en classe. La prof de français m'avait envoyé me calmer dehors et, de ce point de vue, c'était mission accomplie : j'étais plus calme qu'un panda en hibernation. Mais ce qui me tourmentait, c'était comment faire avec Perla. Amie, d'accord, ennemie, pourquoi pas ? Mais amoureuse, c'était une tellement drôle d'idée. Je trouvais ça un peu dégoûtant et, quand j'y pensais, je ne voyais qu'une chose dans mon esprit : une petite gomme blanche.

J'ai respiré profondément et j'ai poussé la porte de la classe. La prof m'a lancé un regard interrogateur qui signifiait : « Tu te sens mieux ? » Je lui ai répondu par un hochement de tête très digne qui voulait dire : « Oui, madame, merci infiniment. » Comme il n'y avait pas d'autre place que celle que j'avais quittée, je suis allé me rasseoir à côté de Perla.

J'ai été soulagé quand je me suis dit qu'elle ne pouvait pas savoir que j'avais profité de mon renvoi temporaire pour aller accomplir mon gage. Je n'avais qu'à faire comme si de rien n'était et oublier tout ça. Mais quand j'ai posé le bras sur mon livre de français ouvert et que la page de droite est restée collée à mon blouson alors que je devais la tourner, Perla a sursauté. J'ai vu que sa main tremblait. Elle n'arrivait presque pas à tenir son stylo. Elle a quand même réussi à écrire sur un bout de papier qu'elle a fait glisser sur ma table : « Tu l'as fait ? » Ma main aussi tremblait, mais j'ai pu écrire : « Non, Mme Archimbaud est arrivée au mauvais moment, c'est raté. »

Perla a rentré la tête dans les épaules et n'a plus dit, ni écrit un mot pendant le reste du cours.

L'ambiance est devenue pesante. Ça me rappelait l'époque de Thierry, quand tout devenait lourd et désagréable à cause d'une remarque qu'il me faisait, de son rire qui écla-tait au mauvais moment, de cette façon qu'il avait de me faire comprendre que j'étais différent, que tout le monde s'en rendait compte et que je n'avais aucune chance de m'intégrer. Perla ne m'adressait plus la parole, elle ne me regardait plus et faisait encore plus la tête que d'habitude.

Là, j'ai pensé: amie, c'est bien, ennemie, ça va, mais amoureuse, c'est l'enfer absolu.

Le lendemain, j'ai décidé de passer à l'action. À la sortie du cours de solfège, je me suis approché d'elle et je lui ai dit:

— Je vais commencer le violoncelle. C'est ton père qui va me donner des cours. J'y vais demain après l'école. On pourrait faire le chemin ensemble.

J'avais l'impression de parler comme un robot ou un automate. Je n'arrivais pas à mettre le ton dans ma voix.

— Je sais, a répondu Perla. Je sais pour le violoncelle. Je sais pour mon père. Je sais pour tout. Je sais tout. Parce que tu es son chouchou, tu comprends ça? Son chouchou. Elle t'aime deux fois, cent fois plus que moi. Parce que tu es tellement parfait. Petit génie à sa Mamie…

— Mais de qui tu parles? lui ai-je demandé. Qu'est-ce que tu racontes?

— Non, rien. Pour demain, c'est d'accord. On rentre ensemble. Apporte de l'argent pour les bonbecs.

14

Une amère déception

C'est une journée parfaite. Une journée où la cantine est bonne. Une journée où on n'est pas habillé trop chaudement. On a vingt au contrôle. Les oiseaux chantent et le ciel est bleu.

Hier soir, Mamie avait une surprise pour moi.

Quand je suis rentré, j'ai trouvé qu'elle avait l'air spéciale. Peut-être qu'elle s'était maquillée. Elle avait les joues roses et les yeux brillants. Elle ne m'a pas dit bonjour. Elle ne m'a pas dit: «Qu'est-ce que tu veux pour ton goûter?» Elle m'a dit: «Alors?» en tendant le bras sur le côté. J'ai suivi du regard et j'ai vu un piano. Un piano droit, en bois brun, contre le mur du salon.

– Alors? ai-je répété.

Ça l'a fait rire. Elle m'a pris par la main, m'a installé sur une chaise à côté du clavier, a tiré le tabouret et s'y est installée, face à l'instrument. Elle a ouvert le couvercle, a levé les poignets, comme un lièvre ou un kangourou, et a posé ses longs doigts délicats sur les touches. La musique a ruisselé, tout doucement.

– Je n'ai pas beaucoup perdu, a-t-elle dit. C'est grâce à la pâtisserie et à la couture. J'ai gardé mes doigts de jeune fille. Ils sont forts, tu ne trouves pas? J'ai toujours eu des mains très fortes. Mon professeur au conservatoire me le disait. Elle était très belle. Elle est morte. Ils sont tous morts. Tous mes camarades. Les guerres, ça tue beaucoup de monde à la fois. On n'y pense pas. Mais c'est vrai. Après, ça laisse un grand trou. Tous ces gens qui auraient dû être vivants, mais qui ont été retirés. Moi j'étais amoureuse d'un voyou. Alors on s'est enfuis. Les voyous, c'est utile parfois. Quand il m'a perdue aux cartes. Je ne me suis pas fâchée. Parce qu'il m'avait sauvé la vie tellement de fois et puis il m'a rachetée très peu de temps après. Et puis, lui aussi, il est mort.

– Mamie, est-ce que tout ce que tu dis est vrai ? Tu as vraiment été au conservatoire ? Tu as vraiment été perdue aux cartes, puis rachetée ?

Mamie ne répond pas. Pas avec des mots. Elle joue l'impromptu n°2 en mi-bémol majeur de Schubert. Elle le joue à sa manière, comme ma Mamie, mais aussi comme quelqu'un que je ne connais pas, que je n'ai jamais vu, une jeune fille qui a vécu long-temps, longtemps avant moi et à qui il est arrivé des aventures tristes et des aventures folles. Je pense de nouveau aux instruments anciens, dont personne ne veut. Je pense aux amis de ma grand-mère qui sont morts avant elle, au grand trou, comme elle dit, au grand trou que font les guerres, et ça me donne mal au ventre. J'ai la gorge serrée. Je voudrais poser d'autres questions à Mamie, lui demander pourquoi les choses ne vont pas toujours dans le bon sens, à quoi servent les malheurs, les crimes et les ennemis, et comment on peut pardonner à un mari qui vous perd aux cartes. J'ai l'impression que si je ne comprends pas tout ça d'un coup, je ne pourrai plus respirer.

Mais Mamie continue de jouer, légère et furieuse, vraiment comme un lièvre ou comme un kangourou, avec la même magie, la même habileté dans le mouvement. Quand elle termine, elle reste un instant silencieuse, les mains suspendues au-dessus des touches, puis elle se tourne vers moi, me caresse la tête et me dit :

— Merci, mon chéri.

Après une soirée pareille, on fait de beaux rêves et quand on se réveille le lendemain, on sait déjà que la journée sera parfaite. Même Perla a un vague petit sourire au coin de l'œil.

— Alors, madame Je-sais-tout, lui dis-je en arrivant en classe. Qu'avez-vous à me dire aujourd'hui sur ma vie privée, ultra personnelle?

— Je peux te dire dans quel quartier tu habites. Je peux aussi te dire qu'il n'y a pas longtemps, ta grand-mère a dû acheter un paquet de pailles.

— Des pailles pour boire?

— Oui, mais toi, tu ne t'en servais pas seulement pour boire. Tu devais souffler dedans.

Elle me fait cette dernière révélation en ouvrant grands les yeux, comme si elle lisait dans mes pensées et, soudain, j'ai l'impression de connaître ce regard. Ce n'est pas l'air qu'a Perla d'habitude, c'est une expression nouvelle et que je connais pourtant déjà.

La journée passe en un éclair et à quatre heures et demie, je sors deux euros de ma poche que je fais miroiter dans le soleil. La pièce se transforme vite en une poignée de Carambar atomics et de Têtes brûlées.

Pour aller chez Perla, on prend le bus. Les passagers sont aussi serrés que dans le métro, peut-être même plus, mais c'est agréable parce qu'on peut voir la rue. J'aimerais dire quelque chose à Perla, lui parler de ce qu'il y a écrit sous le piano, mais je ne sais pas comment faire. Ça me gêne. Et puis ce n'est peut-être pas elle qui a dessiné ce cœur. Alors, à la place, je lui parle de ma grand-mère. Ça l'intéresse beaucoup. Elle me pose des questions et comme je ne connais pas toutes les réponses, j'invente un peu.

– Moi, me dit-elle, mes parents sont divorcés. Mais ils s'aiment toujours; j'en suis sûre. Sinon ils se seraient remariés. Parce que mon père est très beau, alors il pourrait trouver une femme facilement, et ma mère, enfin tu vois comment est ma mère…

Je ne comprends pas. Je ne connais aucune Madame Dexter. Mais soudain je me dis que s'ils sont divorcés, elle a peut-être un autre nom.

C'est à ce moment-là qu'on arrive. Je n'ai donc pas le temps de mener l'enquête. Charles Dexter ouvre la porte. Il a l'air un peu étonné de nous voir ensemble. Perla lui saute au cou et il me serre la main en même temps. Je ne le trouve pas si beau que ça, mais bon, Perla a des goûts de fille, c'est normal.

– Passons au salon, jeune homme, si vous voulez bien.

Je le suis, tandis que Perla me fait un signe avant d'aller s'enfermer dans sa chambre. Charles Dexter me pose une question. J'entends sa voix, quelque part, très loin, comme s'il me parlait depuis le rez-de-chaussée de l'immeuble. Il me repose la même question, mais je ne l'entends pas mieux. Je ne comprends rien à ce qu'il dit, parce que la seule chose sur laquelle j'arrive à me concentrer, ce sont les photos. Des dizaines, des vingtaines de photos qui représentent toutes Marie-José

Périvaneau. Marie-José en robe de mariée, Marie-José en maillot de bain, Marie-José sous un parapluie, Marie-José avec Charles Dexter, Marie-José avec un bébé très mignon qui rigole. Un véritable musée.

Charles Dexter me parle, je lui réponds vaguement. Il me montre un violoncelle. Je le tiens entre les genoux. Je laisse tomber l'archet par inadvertance. Il s'agace. Il me fait lire une partition, j'annonce des noms de notes au hasard. Je repense à ce que m'a dit Perla : « Tu es son chouchou. Elle t'aime cent fois plus que moi. » Et je continue de me perdre dans les photos qui semblent, à elles seules, expliquer un océan de mystères.

– C'est une déception, une amère déception, me dit Charles Dexter, en me raccompagnant à la porte.

– Ce n'est pas grave, monsieur. Je m'étais trompé. C'est le piano mon instrument, le piano.

15
Et après ?

Un an a passé. Je suis en sixième ; pas dans la même classe que Perla, mais c'est ma meilleure amie quand même. On a tellement ri le jour où je lui ai dit que j'avais vu le cœur sous le piano.

— Le cœur que ce salaud de Didier Pichavioque avait gravé avec son petit canif de frimeur ? m'a dit Perla.

— Didier Pichavioque ? Mais pourquoi il a fait ça ? j'ai demandé.

— Parce qu'il est débile. Parce qu'il est jaloux. Parce qu'il pense qu'on ne peut pas être copain avec une fille quand on est un garçon. Je ne savais pas comment t'en parler.

C'est pour ça que je t'avais donné ce gage pourri.

— Mais moi, j'ai cru que c'était toi.

— Moi quoi?

— Toi qui avais dessiné le cœur.

Perla a tellement ri en faisant le même bruit que sa mère, que j'ai cru qu'elle ne s'arrêterait jamais. Je ne sais pas pourquoi je me suis senti un peu vexé. Mais c'est passé. Depuis, on se dit tout, on ne se quitte plus, même si Charles Dexter n'est pas vraiment fou de moi. On se voit presque tous les soirs après les cours. Parfois on va goûter chez Marie-José et j'essaie d'être le plus désagréable possible pour ne plus être son chouchou, pour qu'elle préfère sa fille. Ça ne marche pas. Elle dit: «J'aurais tellement aimé avoir un fils comme toi.» Je regarde Perla du coin de l'œil pour voir si elle ne fait pas la tête. Mais Perla ne fait plus jamais la tête. Elle a arrêté de bouder du jour au lendemain. Je ne sais pas comment. Je ne sais pas pourquoi. Elle s'est aussi mise à jouer du violoncelle comme une pro. Les mystères anciens sont remplacés par les mystères nouveaux.

Parfois, on travaille le cervelas et je ne désespère pas de me mettre au serpent dans un an ou deux. J'ai expliqué à Marie-José que je l'avais un peu menée en bateau avec ma fausse passion pour la musique médiévale, mais ça ne l'a pas fâchée.

— Il n'y a pas de mauvaises raisons. Pas pour la passion. Je n'en connais, moi, que des bonnes. Et puis ta grand-mère est tellement contente.

C'est vrai. Mamie est transformée. Elle a retrouvé la mémoire. Enfin, pas complètement, mais parfois, après notre leçon quotidienne, elle me parle. Elle me raconte mon grand-père que je n'ai pas connu, elle me décrit des pays où je ne suis jamais allé, elle m'explique la politique. C'est le meilleur des professeurs, même à l'école ils me demandent qui m'enseigne le piano et quand je dis que c'est ma grand-mère, ils ne veulent pas le croire. Pourtant, c'est la vérité. C'est Mamie qui m'a appris presque tout ce que je sais et, parfois, je pense que si Thierry, mon instituteur de CM1 et de CM2, n'avait pas été si horrible, rien de tout cela ne serait arrivé. Ma grand-mère coudrait encore des taies d'oreiller et quand elle aurait fini, on jouerait aux dames.

Je parle beaucoup plus à mes parents de notre vie, à Mamie et à moi, je leur donne des tas de détails. C'est un plan secret. Un stratagème imparable. Je veux les rendre jaloux, si jaloux de ce qu'on fait qu'ils auront envie de revenir. Je ne sais pas si ça marchera, mais j'essaie, parce que je sais maintenant que la vie peut changer, même à dix ans, même à soixante-douze ans. Il suffit d'essayer.